KB122627

보리수아래 감성 시집 2 이경남 시집

미안 인생아

도서출판 도반

첫 시집 더없는 선물에 감사하며

점이 모여 선이 되고 선이 모여 면을 이루어 하나의 형
태로 이루어지듯 시간이 모여 하루가 되고 하루가 모여
일 년이 되고 세월이 되어간다.

밀레니엄 세기로 일컬었던 2000년도 어느 사이 20년
이 지나고 나에겐 먼일 같았던 육십갑자의 시간도 큰
원을 한 바퀴 돌았다.

60여 년 긴 세월~특별할 것도 내세울 것도 없이 그저
주어진 인연들에 감사하며 모퉁이 구석에 나앉은 작
은 분재처럼 부비대며 모자란 듯 살아오면서 때로는 희
망도 품고 때로는 아픔과 절망을 느끼며 비어있는 많은
시간~ 넋두리처럼 긁적이던 낙서들이 귀한 인연의 도
움과 배려로 글이 되고 시가 되어 작은 등대처럼 길 잃
은 배의 빛이 되어 준다.

나의 아픔과 치부로 점철된 일상의 글이 막상 여러 사람들에게 보여진다고 생각하니 마치 감춰져 있던 수줍은 처녀의 속살을 들킨 것처럼 부끄럽고 두근거리면서도 보리수아래 감성 시집 두 번째 시인, 기대치 않던 바람이 이루어진 듯 세상 더없는 선물로 가슴이 벅차다.
인생은 60부터라는 말이 새로운 희망으로 와 닿을 수 있게 해준 많은 인연과 또 다른 삶의 끈이 되어 줄 시집 발간에 애를 써주신 모든 분들께 깊은 감사드립니다.

2020년 봄을 앞두고
이경남 씀

차례

제1부
빈 오후

빈 오후

오늘이 어둑어둑 가는데
무겁게 내려앉은 구름은
서러움 피어나듯 그믐치
비를 뿌리고 이름도 모를
누구를 기다리게 만든다

기다리는 님 오지 않으니
길가는 그대 나의 님 되어

소주잔에 떨어지는 그리움
마시며 새벽 별 질 때까지
나의 님 되어 주구려

넘쳐나던 소주잔에
님은 어디 가고 외로움만 그득하니
세상의 모든 임 남의 님이네

비워버린 소주병에

님의 흔적 남아 그리움만 가득하니

세상의 모든 임 나의 님이네

술의 노래

혹시나

혹시~
혹시나 하며 길을 걷고
혹시나 하며 사람들 가운데 있습니다

정류장의 들쭉날쭉한 기다림 속에서
혹시나 하며 기웃거리고
문 닫히는 지하철 안에서 혹시나 사라지는 얼굴을 봅니
다

넘쳐흐르는 그 많은 군상 , 혹시나 두리번거립니다
공원의 벤치 위에 홀로 앉아 궁상떨며 외로워하는지

역 앞 빈 박스 안에 웅크려 졸고 있는지

그런데 모릅니다
혹시나 하며 보려하는 그 얼굴을 모릅니다
한 번도 본 적 없는 얼굴

그런데 자꾸 두리번거려집니다

누군지 모르는 그를

혹시나 스쳐 지나가지 않나 우려하면서

혹시나 사라져 버린 건 아닌가 걱정하면서

또 만나지면 어쩌나 두려워하면서

혹시나

혹시나

찾을 수 있을런지

혹시나

혹시나

혹시 내가~~

하루를 살았다

하루를 살았다
기나긴 하루를
오늘 또 살아냈다

먼 산 너머 해는 붉어지는데
풀섶에 이슬처럼 오늘 또 하루를 살았다

흔들대는 바람에 한 조각 구름
무심한 구름은 뭉쳤다 흩어지고
흩어졌다 다시 모여 시나브로 흐르는데

빨랫줄 끝에 걸쳐진 해진 옷자락
거두는 이 하나 없어도
부는 바람에 잘도 나부대고

찌그러진 영혼의 그릇은
이리 구르고 저리 구른다

오늘

오늘 하루를 또 살았다
오늘 또 하루를 살아냈다

결박

그댄 아시는가
그대 가려는 곳
발 디뎌가는 그곳 어디인지

죽을 듯 쳇바퀴 굴리는 다람쥐는
굴림 통 속 벗어날 줄 모르고

온종일 헤매며 돌아다녀도
한 치 앞 못 나가고 다시 그 자리

그댄 아시는가
그대 머문 곳

제1부

머문 그곳 아시는가
발 디딘 그곳 어디인지

꿈속 지친 듯 만리를 돌아도
눈뜨면 꼼짝없는 누운 그 자리

뫼비우스

안인가 하면 밖에 있고
밖인가 하면 안에 있고
안도 밖도 없는 인생

꽃길 속에 가시덤불
진흙밭에 연꽃 송이

이별하면 돌아오고
다가서면 멀리가고

앞인가 하면 뒤고
뒤인가 하면 또 다시 앞

인생도 사랑도
끊어지지 않는 뫼비우스 띠

세상 참~~ 모르겠다
세상 참~~ 어렵다

번민

가고 싶은 곳 어디일까
가고 싶은 곳 어디라고 할까

하고 싶은 것 무엇일까
하고 싶은 것 무엇이라고 할까

흐르는 흰구름은 어디로 가는지
아랑곳없이 흐르고

부딪는 바람은 잠시의 머무름 없고
흔적도 없는데

묻지도 말아라
번민도 말아라

남기려 욕심부리지도
보이려 가식하지도 말며

가고 싶은 곳 하고 싶은 것
모두 흐르는 구름이어라

가고 싶은 곳 하고 싶은 것
모두 순간의 허망이어라

새벽 산사

안개는 발아래 물결을 만들고
지나는 바람 풍경을 흔들어
산사의 새벽을 가른다

촛불 심지 높이 돋우고
향 하나 깊이 심는다

흔들리는 육신의 온 아픔을 접으며 삼귀의 염한다
저기 비어있는 듯 고요히 앉아 계신 분은 누구이며
여기 고개 떨군 저는 누구입니까

모두 놓으라는 님의 말씀에도
접은 손 펴지 못하는 어리석음은 무엇입니까

피어나는 향내는 법당 안 가득하고
스치는 바람에 풍경 소리만 은은하다

향로

발원

누군가 나를 힘들게 하고
누군가 나를 괴롭게 할 때

끓어오르는 분노
얼음같이 차게 만드시고

칼을 가는 붉은 적개심
진흙 속 연꽃으로 화해주시고

누군가가 힘들어하고
누군가가 괴로워할 때

대비심 내리시어
가슴속 바다 이루게 하시고

어쩌지 못하는 중생심
크신 보살의 마음 받들게 하소서

세상의 모든 시시비비 속에서
문수의 지혜로 헤치게 하시고

그리고 한 가지 더 원하건대

미혹한 현란함에 빠져
내가 나를 기만케 하지 마소서

알게 하소서

무엇을 찾을까
무엇을 구할까

구할 것 무엇인지 모르면서
찾아 헤매는 어리석음이여

무엇을 채울까
무엇을 가질까

가진 것 무엇인지 모르면서
채우려는 욕심이여

왜 하필
왜 나만

원인도 이유도 알 길 없이
녹아지지 않는 분노심이여

알게 하소서
알게 하소서

그 모든 것 내 안에 있음을 알게 하소서

알게 하소서
알게 하소서

그 모두가 나의 그림자임을 알게 하소서
그리고
그 모두

바람 속 연기처럼 흔적 없게 하소서
허공의 구름처럼 자유롭게 하소서

나무 석가모니불
나무 석가모니불
나무 시아본사 서가모니불

나의 부처님

부처님

부처님

나의 부처님

갈 길 몰라 헤매이던 내가

외로움에 울먹이던 내가

이제는 두렵지도

이제는 외롭지도 않습니다

부처님의 따스함이

내 안에 있음을 알고

부처님의 보살핌이

항상 함께함을 느끼고 있기에

이제는 두려움도 무서움도
이제는 외로움도 괴로움도

바람에 흩어지는 구름처럼
모두 사라져 버립니다

부처님 부처님
우리 부처님

언제까지나 함께 하소서
언제까지나 함께 하소서

I wish

높다란 법상 위에 주장자 짚고
깊은 설법하시는 스님 경외합니다

I wish

멍석 위에 아이들과 무릎 맞대고
옛날이야기 들려주시는 스님

깊은 산속 묵언 참선하시며
중생 해탈 구하시는 스님 존엄합니다

I wish

시름 속 눈물짓는 바보 중생 위해
어릿광대 장난으로 웃음 짓게 하는 스님

바람 소리 새소리 청정한 모습에
발우공양 청빈하신 스님 존경합니다

but, I wish

시끌벅적 시골 장터 나무 탁자
양푼이 비빔밥에 숟가락 하나 얹어

개똥이 한입 말뚝이 한입 드시는 스님

I want~~~......

무지

무엇입니까
무엇입니까

있다는 것은 무엇이 있다는 것이고
없다는 것은 무엇이 없다는 것입니까

내가 가지려는 것은 무엇이고
내가 버리려는 것은 무엇입니까

삼천 대천 온 우주 법계는
꽉 찬 것입니까
텅 빈 것입니까

꽉 찼다면 무엇이 꽉 차였고
비었다면 무엇이 비었습니까

모르겠습니다
모르겠습니다

彼岸(피안)이 무엇이고
此岸(차안)이 무엇인지

보리심이 무엇이고
중생심이 무엇인지

싫습니다
싫습니다

알지도 못하면서 아는 척하는 기망이
취하지 못할 줄 알면서 가지려는 욕망이
끓어오르는 욕정에 일어나는 분개심이

왜입니까
왜입니까

벗지 못하는 원인은

놓지 못하는 까닭은

참지 못하는 이유는

왜 ?

왜 ?

왜입니까 ,,,

제2부
흔들 흔들

어머니

어머니 ~~

당신을 보고
당신을 부르고
당신을 만지면서도

가까이 온 훗날의 당신의 존재에
왜 이리 눈앞이 아득합니까

꼬옥 쥐면 부서질 듯 앙상한 뼈 위에
힘없이 밀리는 거죽손의 미온이

헌 종자기같이 빈 껍질만 남아버린
우주의 생명줄이던 당신의 젖가슴에
왜 이리 나의 가슴은 먹먹해집니까

한 손으로 들려질 듯 소파 위에 동그마니 누운 당신의
모습에 왜 이리 코끝이 시려옵니까

한 자도 안 되는 작은 어깨에 수만 번 매달리던
당신의 안타까운 자식은
반백을 넘은 세월에도 당신의 아픔입니다

당신의 기쁨이 되는 날 한번 없어도
당신은 나를 보면 항상 환하였고
그 햇살이 나를 존재하게 하였습니다

당신의 당당한 자식으로
당신의 번듯한 자식으로
당신의 자랑스런 자식으로

당신의 큰 웃음 앞에 서고 싶었던 아이는
봄 아지랑이 속에 사라지고

당신의 늙은 웃음을 위해
지천명의 세월에 할 수 있는 것이라곤

거짓 철부지 응석도 해보고
거짓 아이의 아양도 떨어보고

50 넘은 아기의 재롱에
80 넘은 각시의 주름진 웃음

그것
그것 뿐입니다

입정 연습

흔들리는 다리의 두 무릎을 구부려 모으고 움찔대며 달
아나는 어깨의 두 손을 움켜잡으며 살며시 눈 감아본다

불어오는 바람은 긴 한숨 되어 거친 숨결의 파도를 일으
키고 가슴속 깊은 곳 알 수 없는 움직임

눈앞에 나타나는 형체 없는 점들은
흩어졌다 모이고 또 모였다 흩어지는데

머릿속 가득히 일어나는 뿌연 안개에
꿈속의 화두는 깨어보지도 못한 채
부딪치는 죽비 탁 탁 탁

꿈틀대던 북소리 어느새 사라져 버리고
미혹한 어리석음에 나를 잃는다
나를 잃는다
또 나를 잃어버린다

노인

길 한쪽 비켜난 돌무더기
도시의 묘지인 듯 자리잡았다

언제부터인지
묘지의 주인인 양 걸터앉은 노인 하나
아주 오래전 일인 듯 편안하다

손때 묻은 지팡이는 할 일 없어 나뒹굴고
오가는 사람들은 관심이 없다

오늘은 얼마나 지나는지
살아온 날인 듯 수를 세아린다

한 명 두 명 세 명

물끄러미 쳐다보는 지나던 꼬마 아랑곳없이
노인은 또 남아 있는 날인 듯 수를 센다

남자 한 놈 남자 두 놈 남자 세 놈
여자 한 년 여자 두 년 여자 세 년
꼬마 한 분 꼬마 두 분 꼬마 세 분

겨울의 짧은 해는 아직도 중천인데
기다리는 눈은 기미도 없이
게으른 낙엽 하나 툭 떨어진다

달팽이

나는 달팽이

귀도 없고 눈도 없는
나는 초록 달팽이

보이는 것이 세상의 모든 것인 줄 알았지요
옅어지는 형색의 모양은 점점 흐려져가고

들리는 것이 세상의 모든 것인 줄 알았지요
잃어가는 소리의 음색은 점점 멀어져가고

두 귀 없어지고
두 눈 사라지고

이제서 보이네요
비로소 느끼네요

보이지 않아야 보이는 것들이 훨씬 아름답다는 걸
두 눈 사라지고야

비로소 들리네요
이제서 느끼네요

들리지 않아야 들리는 것들이 훨씬 청명하다는 걸
두 귀 없어지고야

세상에서 가장 잘 보이는 눈 더듬이
세상에서 가장 잘 들리는 귀 더듬이

한 쌍 더듬이에 모든 것 다 담고
푸른 바위 노니는
나는 달팽이

동그란 이슬 속에 모든 꿈 안고
청량한 숲속 거니는
나는 달팽이 초록 달팽이

흔들 흔들

흔들 흔들
흔들리는 세상 속

휘청 휘청
걸어가는 사람아

한번도 똑바르지 못했던
목마른 너의 몸뚱아리는
오늘도 뒤뚱거리고

어제 같은 오늘. 오늘
술 한잔 하고 싶다
땅거미 지고 어둠은 내려오는데
어깨 처진 그대와 술 한잔 하고 싶다

차오르는 술잔 속
부딪치는 유리 음

어질 어질
어지러운 세상아

오늘도
뒤뚱거리며 너를 안는다

어제 같은 오늘, 오늘
술 한잔 하고 싶다

차오르는 술잔 속
젖어 드는 그리음

전류(全流)

하늘 흐르고
땅 흐르고
모두 다 흘러간다

기차의 역방향에 앉아
바라보는 창가의 풍경처럼

다가오는 것 느끼지도 못한 채
모두 다 흘러간다

즐거웠던 시간도
행복했던 시간도
괴로웠던 시간도

세월의 조각되어
모두 다 흘러간다

알 수 없는 그리움은
안개처럼 피어나고

떨어진 낙엽은 길 위를 뒹굴고
편린된 영혼은 바람에 흐른다

시력 장애

보이는 것
보이지 않는 것

볼 수 있는 것
볼 수 없는 것

보이는 것은 무엇이고
보이지 않는 것은 무엇인가

보여지는 것은 전부 진위이고
보여지지 않는 것은 전부 가위인가

보여줄 수 있는 것보다
보여줄 수 없는 것이 너무도 많은데
보이는 것만이 진실이 되고 믿음이 된다

나는 너의 무엇을 보려 했으며
너는 나의 무엇을 보고자 했을까

필름에 찍혀진 미세한 골절보다
서러운 마음에 에일 듯 가슴이 너무 아파도
부러진 뼈 위에 튼튼한 깁스를 한다

보이는 것만이 아픔이 되고
썩어가는 육신만이 진정이 된다

보이지 않는 혼백을 찾으려 현미경을 들이대어
허공 속 허우적거리며

낙엽 지듯 젖어드는 습기 찬 영혼은
깊고 깊은 심연에 또아리 틀며

눈을 감는다
차라리 눈을 감는다

소루(笑淚)

슬픔에 가득 흐르는 것만이 눈물입니까
벅찬 가슴에 흐르는 것도 눈물입니다

행복한 가득함의 표현이 미소입니까
저미는 가슴에 눈물보다 더 아픈 것
차라리 허공 중의 넋 웃음입니다

눈가에 맺히는 그대의 이슬에
나는 아프게 웃습니다
너무 아파 또 웃었습니다

이제 흐르는 그대 눈물
천근의 무게로 받아들고

다시는 안을 수 없는
손 내미어 잡아봅니다

얼굴 가득 환하게 웃으며
어제의 그 따스했던 손

지금은 너무 시려 떨려오네요

이제 내게는 없습니다
울음도 웃음도
이제 내게는 없는 글자입니다

    영원히

    영원히

기다림의 이유

내가 그대를 기다리는 것은
그대 그리움이 아닙니다

오지 않을 그대를 손꼽아 헤이는 것은
정녕 그대 보고파서가 아닙니다

마른 삭풍에 떨리는 사립문을 살며시 열어놓은 것은
행여 오실 그대 위함이 아닌 것입니다

고갯마루 높은 곳 핏빛 어려 떨어지는 해를 바라다보는
것은
점점 흐려져 가는 그대 얼굴 그리는 것 아닙니다

내가 나를 벗을 수 없기에
부는 바람에 날리고픔입니다

나의 모두 가져가 버린 그댈 기리는 것은
혹시 올지도 모를 그 님 그리움이 아니라

기다리는 나를 위해서
나의 하루
잇고자 함입니다

그래야 살 수 있기에
그래야 숨 쉴 수 있기에

그래서 기다립니다
그래서 또 기다립니다

괜찮다면

슬플 때 그때
내게 오세요

내가 줄 수 있는 것
눈물 흘린 손수건 한 장 뿐이지만
그래도 괜찮다면
내게 오세요

기쁠 때 그때
내게 오세요

내가 할 수 있는 것
그대보다 더 큰 웃음 뿐이지만
그래도 괜찮다면
내게 오세요

외로울 때 그때
내게 오세요

내가 될 수 있는 것
그대 가슴 덮을 작은 담요지만
그래도 괜찮다면
내게 오세요

누군가 그리울 때
그땐 그땐
내게 오지 마세요

난 줄 수도 할 수도 될 수도 없어요
그대 이미 나의 가슴이기에

그대 그리움 바라볼 수가 없습니다
내가 너무 슬퍼지기에

그땐 ~~

파란 낙엽

끊어질 듯 끊어질 듯 아스라한 한 가닥
온 힘으로 움켜잡고 있던 잎새 하나
어느 푸른 여름날 바람 한번 일더니

파르르 파르르 떨리우며 하늘을 날읍니다
여름날의 짙은 햇살 가득 담고
붉은 노을에 떨어지는 황금빛 낙엽이고 싶었었고

곱게 물든 단풍 되어 작은 소녀의 일기장 속
추억 되고 싶었습니다.

파랗게 파랗게 갈 곳 잃은 초엽은
높푸른 가을 하늘을 모릅니다

바람이 붑니다
바람이 붑니다

파란 바람이 붑니다
파란 바람이 붑니다

꿈

꿈을 꾸었어
하늘을 마악 날아다녔지
겨드랑이 큰 날개를 달고

그런데 차~암
그 날개가 너의 팔이었어

꿈을 꾸었어
바다 위를 마~악 걸어다녔지
물 위에 둥근 무지개를 딛고

그런데 차~암
그 무지개가 너의 다리였어

그리고

꿈을 깨었지

나의 날개도

나의 무지개도

모두 다 사라져 버렸어

가버린 너처럼

그래서

그래서

난 다시 눈을 감았어

제3부
그냥 살자

그냥 살자

친구야
우리 그냥 그렇게 살자

왜 좋아 하면
그냥 좋아 하고

왜 웃어 하면
그냥 웃어 하고

왜 우니 하면
그냥 눈물 난다 하고

왜 하니 하면
그냥 좋아 하지 하고

왜 왔니 하면
그냥 보고 싶어 왔지 하고

우리 왜 사랑하지 보다
우리 그냥 사랑하지 하고

잘난 왜는 잘난 그네들에 맡기고
못난 우리 그냥 그렇게 살자

네가 웃어
내가 그냥 좋고

내가 울어
네가 그냥 슬프고

네가 서러워
내가 그냥 가슴 시리고

때로는 억울하고

때로는 괴롭고

때로는 분에 겨워도

모든 것 지나는 순간처럼

모든 것 바람결 꿈속처럼

친구야

우리 그냥 그렇게 살자

그냥 그렇게....

못생긴 바위

언제인지 어느 날인지
기억해 낼 순 없습니다

문득 당신은 내 앞에 있었고
나의 몸 안 우주가 태동을 시작한 것 같습니다

그날

당신이 내게 오면서
하늘은 열렸고

그날

당신의 그 환한 웃음에
나의 몸속은 온통 꽃밭입니다

그 어느 날

당신의 눈물 한 방울에
온 산하는 무너지고

그 어떤 날

당신의 짧은 한숨
비바람 되어 불었습니다

그리고 알았습니다

당신이 머물기에
나의 강이 너무 작다는 것을

당신이 날기에
나의 하늘 너무 좁다는 것을

끊었습니다
춤추는 바람에 연줄처럼
끊었습니다

하늘 높이 오릅니다
점점이 멀어져 보이지 않는 풍선처럼

세찬 파도 한 귀퉁치
불쑥 바위 하나 생겼습니다

님 떠난 그 자리
못생긴 바위 하나 솟았습니다

하늘 향한 부러진 바위 하나
비 맞은 채 서 있습니다

환각

들리는 듯하여 귀 기울여 들어보면
아무것 들리지 않았고

보이는 듯하여 눈 비벼 크게 뜨면
아무것도 보이지 않았습니다

분명 듣고
분명 보았는데

내가 들었던 것 무엇이고
내가 보았던 것 무엇인가

오호라

언제나 들을 것이요
언제나 보게 될 것인가

무엇을 보려 함이요
무엇을 들으려 함인지

이제는
이제는
그것조차 모르겠구나

그냥 상자

씨앗 하나

씨앗 하나 뿌렸다

거칠고 메마른 땅 위에
불편하고 떨리는 손 모아
까만 씨앗 하나 정성스레 심었다

봄 햇살은 포근하게 다독거리고
무지개 품은 빗방울은 감로수 되어
손톱만한 잎 하나 송곳이 올라온다

이제 시작이다

성난 태양의 폭염이 갈라지게 허덕이게 하고
쓸어버릴 듯 쏟아져 내리는 짙은 여름비에
어쩔 줄 몰라 펑펑 울기도 하겠지만

때로는 너무 힘들어 좌절도 하고
때로는 너무 괴로워 절망도 하겠지만
내일의 따스한 햇살이 분명하기에
비 개인 오후의 오색 무지개를 희망하며

흙투성이 뒤뚱이는 온몸 일으켜
가픈 숨 몰아쉬며
씨앗 하나 또 뿌린다

두 손 가득 담긴 희망의 그날까지
온누리 보리의 열매 가득한 그날까지

기다리는 겁니다

흐르는 강물 유유하다 깊은 골에 갇혀
흐르지 못하면 어떡하나요

허허벌판 들길을 걷다 소나기 만나
쏟아지는 빗줄기 어떡하나요

흐르지 못해 애타할 것 없이
기다리는 거지요

숨 한번 크게 쉬고
기다리는 겁니다
큰비 내려 어울릴 때까지

비에 흠뻑 젖어 어쩔 줄 몰라 할 것 없이
키 작은 나무 아래 기다리는 겁니다

머리카락 흐르는 빗물 크게 한번 훑어 내고
기다리는 겁니다
소나기 그치는 그때까지

살다가
살다가
힘들어지면 어떡하나요

기다리는 겁니다
숨 한번 크게 쉬고
기다리고

흐르는 눈물 크게 한번 훑어 내고

기다리고
기다리는 겁니다

길

길을 걷는다
길을 걷는다

어디로 가는지 방향조차 모르지만
길을 걷는다.
어제도 그랬듯이 오늘 또 길을 걷는다

가고 있는 이 길이
꽃길인지
걷고 있는 이 길이
벼랑길인지

알 수 없는 걸음은
짙은 안개 속 길을 헤매이는데

걷고 있는 걸음은 나의 것임에 분명하지만
가고 있는 길엔 나의 의식이 없다.

한 걸음 내딛기 두려운
먹장처럼 캄캄한 밤
천 길 절벽 위에

길 잃은 발걸음은 어쩔 줄 몰라 해도
바람에 흔들리는 고장난 이정표처럼
주인 잃은 발길은 갈 곳 모를 길을 걷는다.

청량사에서

봉화 청량사에서 새벽을 보았다.
태고의 적막 속에 온 산이 날아갈 듯 바람이 분다
슬픈 바람은 위윙 대며 찢듯이 울어대고
하늘을 찌르는 탑전 솔가지는 천수천안의 손인 듯
온 바람에 춤을 추고 있다

쉴 틈 없이 울어대는 풍경소리가
항상 흔들리는 나인 듯 온밤 하얗게 지새우고
또다시 나를 찾으려 바람 부는 새벽을 열며
휘청이는 다리는 법당의 계단을 밟는다.

우수(雨水)

벚꽃 비 날리던 그 길에
오늘 봄 품은 비가 내리고 있다.

산속의 노래하던 새들
내리는 비에 분주하고

어스름 해지는 하루
기다리던 붉은 노을
빗물에 씻겨 보이지 않는다.

가을 호흡

후~~~우~
후~~~우~~우~

가슴을 내밀어 긴 호흡 내민다
가을하늘이 내려와 나를 마신다.

가을하늘은 나를 마시고
나는 가을바람을 마신다

나를 마셔버린 가을하늘은
깊은 고독함에 붉은 피를 토하고
내가 마셔버린 가을바람은
짙은 서러움에 거세게 울부짖는다

온 산하의 모든 생명은
깊은 잠에 들어간 듯 말이 없고
대지의 흐르는 기운은
그 흐름을 멈추었다.

가을바람은 나를 삼키고
나는 가을하늘을 삼켜 버렸다

콩 타작

높디높은 가을하늘은
굵디굵은 햇살을 들판 위에 쏟아내고

한마당 가득 벌려있는 멍석 위에
벗지 않은 콩 짚단이 누워있다

하늘을 향한 상 도리깨질로
가죽은 터져 나오고

조신한 하 도리깨에
집 나온 콩알이 춤을 춘다

어영 이영 마주치는 도리깨 장단에
툭툭 튀어 나는 누런 콩

송골송골 솟아나는
이마의 방울꽃

웃음 짓는 아낙네
출렁이는 치마폭에
가을빛 내려앉고

마당 한가득
행복이 피어난다

마당 한가득
가을이 피어난다

눈이 내립니다

눈이 내렸습니다

지난밤 아무도 모르게 슬며시 내린 눈
하얀 목화솜처럼 소복히 피었습니다

밤사이 쌓인 하얀 눈
햇살에 비춰 반짝입니다

아롱아롱 속삭임이 너무 예뻐 살포시 안아 보지만
손안 가득 퍼지는 차가움과 스며드는 눈물만이 두 손을
적십니다

밤사이 쌓인 눈
하얀 무명 펼친 듯 포근합니다

송이송이 부는 바람에 춤을 추듯 일어납니다
티 하나 그어지지 않은 처녀 백설 위에

시린 손가락 힘주어 누군지 모를 이에게
하얀 글 새겨봅니다

따뜻한 봄날 찾아갈 거라고
꼬~옥 찾아갈 거니
기다려 달라고

하염없이 내리는 눈은 시린 글자를 지우고
불어오는 바람은 그리움을 날려 버립니다

눈이 내립니다
하얀 눈이 내립니다

제4부
미안 인생아

귀풍(傀風)

바람이 분다
흔들리는 거리에
바람이 불었다

칠흑의 어둠 속 귀곡성인 듯
흐느끼며 휘청인다

찌들어진 방풍의 창틀 비니루는 갈래갈래 찢어져
헝클어진 死者의 긴 그림자로 일렁이고

불빛 흐린 창가에 쿨럭이는 소리
유리창에 부딪쳐 찢겨지고

가픈숨 깜박이던 가로등 불빛
툭 떨어져 내린다

골목 어귀 돌아
저벅저벅 검은 누군가 온다

터벅터벅 허연 누군가 간다

쿨럭대던 기침 소리 조용하다

승가대 탁본 감상기

어느 선비의 높은 정기 한 점 한 점 몸으로 받아들여
처녀 생명을 잉태하여 천년의 영욕 속에서
뚝뚝 떨어지는 몸뚱아리 깊은 아픔 아무런 저항도 하지
못한 채
묵묵히 인고의 시간을 견디어온 너

눈 밝고 덕 높은 고승의 손길을 빌어 한 자 한 자 꽃봉오
리 피듯
이제 다시 세상에 빛 보이니 연화의 승가대 숲속에서 영
원 무궁하여라
가을 빛 높은 하늘 붉디붉게 물든 단풍은 제 색에 겨워
바람에 흔들리며
고운 빛 날리운다.

친구여 그냥 걷자

친구여 우리 그냥 걸어 볼까
어느 목표 어느 의미 그런 고상한 허울 집어던지고
그냥 걸어보자꾸나

산길도 걷고 들길도 걸으며
너는 산이 되고 또 나는 너의 나무 되고

강길 걷고 둑길 걸으며
나는 너의 강이 되고 너는 나의 핏줄의 맥이 되고

친구여 우리 그냥 걸어가자꾸나
때로는 엎어지고 때로는 부딪쳐 아파하며

우리 힘든 열 보의 걸음이 그들의 한 보만 못하더라도
눈먼 그네들 보지 못하는 것 우리 보고 느끼며
그렇게 한 발씩 걷자구나

걷다 걷다 힘이 들고
가다 가다가 지치면

그 자리 그대로 풀 위에 누워
떨어지는 밤하늘의 별들 눈에 담으며

한 번쯤 고상한 척 윤동주의 별도 읊고
한 번쯤 잘난 척 육도삼략을 희롱하며

먼동이 트고 노래하던 별들 사라지는 새벽 오면
또 다시 붉게 오르는 해 바라며
지난밤 묻었던 온갖 잡것 툭툭 털어내고
또 다시 가자꾸나

제4부

친구야

너무나 잘난 사람들 천지인

이 세상 틀 밖에서

우리 모두 벗고 놀아 보자꾸나

우리 안의 원숭이 노니는 모습

구경이나 해가며

그렇게 놀다 가자꾸나

하

하

하

싶소

걷고 싶소 걷고 싶소
새벽안개 휘감은 숲속 작은길
태초의 하양 빛 어려 있는 숲속 자락길

담고 싶소 담고 싶소
처음의 사람인 듯 그대의 한스럼
출렁인 내 가슴에 가득 담고 싶소

살고 싶소 살고 싶소 미련 없는 바람처럼
살고 싶소 살고 싶소 흩어지는 구름처럼

흐르다 구르다 흔적 없는 구름처럼
흐르다 구르다 자취 없는 바람처럼

살고지고 살고지고
살고지고 살고지고

흐르다 구르다 모양 없는 구름처럼

흐르다 구르다 남김 없는 바람처럼

미안 인생아

인생아 인생아
나의 인생아
지금껏 뭐 하나 특별나게 해주는 거 없이
힘겨워 혀덕이는 사막의 낙타처럼
부림만 하는구나

미안한데 부족한 나의 역량에 조금만 더 기다리라
말 하기가 어려울 듯하구나
이 순간까지 오직 나만 보고 달려온 나의 인생아

그래도 어떡하니
나는 너밖에 모르고
너 또한 아끼는 이 나 하나인데

내 너를 위해 존재하고 나의 모든 것 너와 함께하리니
너에게 걸쳐진 헐고 째진 옷 너무 탓하지 말게나
또 누가 아나 달마의 멋진 옷 빌릴 행운이 내게 올지

인생아 인생아
나의 인생아
너는 내가 싫을지 모르지만
나는 네가 너라서 좋구나

흔들 세상

흔들 흔들
흔들리는 세상 속

먹지 않은 술에 취한 듯
휘청이는 다리는
어차피 갈 지 자를 걸어가고

본시 취기 어린 몸뚱아리는
독술 한잔 원하는데
힘겨워 지친 발걸음 내여
술 한잔 지끌이면 좋겠다

지나온 발길에 부딪쳤던 온갖 것들에 술 한잔 기울여
애썼노라 다독이며 애썼노라 위로하고
이제 그만 놓아버리고
산기슭 언덕 아래 자리 하나 깔아
술 한잔하고 싶다

숨쉴 새 없이 달리고 달려
더이상 숨쉬기 힘든 공간 속

흔들 흔들
흔들리는 우리네
지나는 벗들이여 바쁜 걸음 멈추고 여기
술 한잔 하자꾸나

소주 한잔에 또 다시 흔들 흔들~~

길동무

길을 걸었네
혼자 걸었네

문득 외로움에 하늘을 보았지
파아란 하늘에 조각구름 하나
동무 하자며 내려온다네

길을 걸었네
혼자 걸었네

쓸쓸한 맘에 산을 보았지
버드나무 가지 하나
친구 하자며 손을 내미네

길을 걸었네
같이 걸었네
구름 동무 목마 태우고

길을 걸었네
같이 걸었네
버들 친구 팔장을 끼고

길을 걸었네
하늘과 산
온통 다 같이

하늘은 노래하고
산은 춤 추며

길을 걸었네
온 산들 다 함께
온 하늘 다 함께

길을 걸었네
같이 걸었네

저 언덕 너머
나의 꿈으로

1분 늦은 시계

휑한 바람만 스치는 한적한 시골집
흙벽 담 한쪽 비딱이 걸린 벽시계 하나

처음부터인지 나중에인지
언제나 1분이 늦은 시계는

보는 이 아무도 없이
오늘도 두 팔 휘휘 젓는다

거친 땀 베어가며 부지런히 살아 있지만
부지런한 1분 늦은 시계는 항상 과거 속
눈앞에 보는 현재는 아무리 쫓아도
다가갈 수 없는 내일이다

한번도 맞춰지지 않는 시계는 지쳐가고
지쳐진 몸뚱아리는 차라리 기다린다

5분이 늦고 또 10분이 늦어지고

서서히 힘이 빠진 두 팔이 멈추어지고

하루에 두 번만이라도 세상과 같이 할 쓸쓸한 그날을…

이제 그만

그대여
많이 지치고 힘들어 보이는구려

힘겨운 발걸음 멈추고
이제 그만 쉼표 하나 찍자구려

여기까지 오느라 힘들었던 당신
꽉 조여 매던 신발 끈 풀어헤치고
이제 그만 쉼표 하나 찍자구려

순간순간이 모두 과거인데
꽃길의 영광이 무슨 소용이고
진흙길의 아픔이 무슨 대수겠소

두 어깨 가득 짊어진 영욕의 짐 덩어리
이제 그만 내려놓고 쉼표 하나 찍자구려

더 이상의 길은 이미 나의 것이 아닌데
힘겨운 발자국 디뎌 무엇을 얻으리오

목적지 없는 나그네 길
머무는 곳 쉼터이구려

어차피 마침표 없는 이 생에
이제 그만 쉼표 하나 찍자구려

그대 아시나요

그대 아시나요

나의 마음을
보여질 수 없는 나의 마음을

혹시라도 멀어질까 두려움에
말 못하는 떨리는 나의 마음을

그대 보이나요

나의 모습이
당신 곁에 서성이는 나의 모습이

혹시라도 뿌리칠까 두려움에
감추며 돌아서는 나의 그림자를

언제쯤 당신 곁에 나 있을지
언제쯤 당신 눈에 나 있을지

나 항상 그대 향해 있는데
그댄 항상 멀리 보고 있네요

그대는 아시나요
나의 마음을

그대는 보이나요
나의 모습이......

나에게로 오라

슬픔이여 오라
나에게로 오라
행복에 가까이 말고
나에게로 오라

외로움이여 오라
나에게로 오라
사랑에 가까이 말고
나에게로 오라

내 너를 기꺼이 받으려니
어차피 슬픈 육신에 네 슬픔 하나
더 얹은들 뭐 어떠리

이 땅에 더 이상 슬픔과 설움 없도록

모든 슬픔이여 오라
나에게로 오라

모든 외로움이여 오라
나에게로 오라

내 너희 모두를 품어
가슴에서 융해하리라..

굴레 탈피

가고 싶은 곳 어디일까
가고 싶은 곳 어디라고 할까

하고 싶은 것 무엇일까
하고 싶은 것 무엇이라고 할까

흐르는 흰 구름은 어디로 가는지
아랑곳없이 흐르고

부딪는 바람은 잠시의 머무름 없고
흔적도 없는데

묻지도 말아라
번민도 말아라

남기려 욕심 부리지도
보이려 가식하지도 말며

가고 싶은 곳 하고 싶은 것
모두 흐르는 구름이어라

가고 싶은 곳 하고 싶은 것
모두 순간의 허망이어라

생선, 장미 그리고 포장

썩은 생선 장미로 포장을 하면
향내가 날까
악취가 날까

오욕에 찌든 몸뚱이 금은보화 치장하면
아름답다 할까
추하다고 할까

무치한 어리석음에 온갖 이력 두르면
어리석다 경멸할까
잘났다고 부러워할까

나오지 않는 목소리 요란한 반주에
악쓰며 소리 지르면
꾀꼬리 같다 할까
돼지 멱 딴다 할까

눈이 있어도 보지 못하고
귀가 있어도 듣지 못합니다

모두가 귀 멀고 눈 멀고
모두가 붉은 광기로 돌아갑니다

오늘도 썩은 생선에 부지런히 포장합니다
오늘도 허세의 넥타이를 맵니다

아주 예쁘고 화려하게.....
아주 의젓하고 멋있게.....

그냥 그대로

그냥 그대로 가만히 두세요

비틀면 비트인 대로
휘었으면 휘인 대로

그냥 그대로 조용히 두세요

비튼 것 바르고
휘인 것 편다면

보기는 바르겠지만
쓰기에 편하겠지만

이미 그것은 실체가 아닙니다
자연은 자연일 때 가장 아름답듯
그냥 그대로

아프면 아픈 대로
슬프면 슬픈 대로
기쁘면 또~기쁜 대로

그리고 그리고

휘어져 굽었으면
휘어져 굽은 대로

그대로 그대로 살다가
그렇게 그렇게 흐르려 합니다

그대로
그대로

또

그렇게
그렇게

파고

무엇인지 모를 것들이 누르듯 쌓여가는 압박감에
시간이 힘들어 허덕이고

하루하루 쌓이는 오물 덩어리는
폐부 깊숙이 쌓여가고

스스로 제어하지 못하는 어리석음에
가슴속 깊은 곳 파도가 인다

잔해

바다가 되고 싶어 망망대해 바다에 넣어도
부서진 유령선의 잔해만이 떠오르고

높고 높은 산맥의 봉우리 되고져 산에 부딪쳐도
부숴져 내리는 바위의 조각 부스러기 뿐

땅거미 내려앉아 온 사위는 적막한데
이 한 몸 뉘일 곳 못 찾아 헤메인다

보리수아래 감성 시집 2
이경남 시집

미안 인생아

시인   이경남

펴낸곳   도서출판 도반
펴낸이   이상미
편집   김광호, 이상미
대표전화   031-465-1285
이메일   dobanbooks@naver.com
홈페이지   http://dobanbooks.co.kr
주소   경기도 안양시 만안구 안양로 332번길 32

불교와 장애인의 문화예술이 있는
"보리수 아래"

보리수 아래는 2005년에 청량사 지현스님(현 대한불교조계종 조계사 주지)의 제언으로 결성되어 불교와 문화예술에 관심있는 장애인들의 문화예술 활동을 지원하고 그들이 재능을 발휘할 수 있는 기회를 제공하고 있습니다. 또한 그들의 재능과 능력을 살려 참된 신앙생활과 바른 포교활동을 하고 이 사회의 일원으로 더불어 살아가도록 지원하고 있습니다.

주요 사업은 장애인의 예술창작과 발표 활동, 장애인의 문화예술교육 지원, 장애불자를 위한 포교활동 및 신행생활 지원, 재능을 기반으로 한 출판 지원, 장애인의 사회적 인식 개선 등 다양한 사업을 하고 있습니다.

현재 월 1회 정기 모임을 매월 셋째 주 토요일에 갖고 있으며 장애인 문화예술활동과 불교에 관심있는 분이면 누구나 동참하실 수 있습니다.

많은 분들의 관심과 후원이 필요합니다! 정기후원, 일시후원, 물품후원, 재능기부, 자원봉사 등으로 후원하실 수 있습니다.

■ 후원계좌 :

하나은행 163 – 910009 – 28505 보리수아래

국민은행 841501 – 04 – 027667 보리수아래

국민은행 220602 – 04 – 213491 최명숙(보리수아래)

■ 후원문의 :

☎ 02) 959 – 2611

이메일 cmsook1009@naver.com

■ 홈페이지 :

http://cafe.naver.com/borisu0708